ZOOM 2

Cahier d'activités
Français Langue Étrangère

Gwendoline Le Ray
Claire Quesney
Manuela Ferreira Pinto

Coordination pédagogique
Cécile Canon

Illustrations
Marie-Laure Béchet

Editions Maison des Langues, Paris

zoom 2

Je comprends les consignes pour bien utiliser mon cahier !

 j'écoute

je lis

 je parle

 j'observe

j'écris

je chante

je montre

j'associe

je fabrique

Je retravaille les contenus du livre de façon ludique.

Je retravaille le vocabulaire avec des activités spécifiques.

J'évalue mes progrès avec des activités spécifiques et une grille d'auto-évaluation.

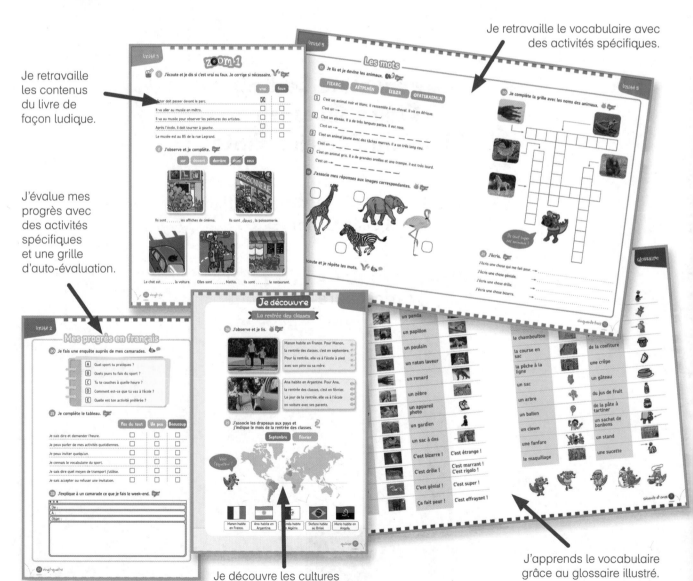

J'apprends le vocabulaire grâce au glossaire illustré.

Je découvre les cultures du monde entier.

MON CAHIER

Je m'appelle . . . .

J'ai . . . . ans.

Je colle
ma photo.

Alors, ton français ?

 1 J'écoute et je note le prénom de chaque personnage.

....

 2 J'écoute et je note le numéro du dialogue sous le dessin correspondant.

3 Je complète le tableau.

| la télévision | le lavabo | l'armoire | la cheminée | le lit | la baignoire |

le salon	la chambre	la salle de bain
....	....	....
....	....	....

Alors, ton français ?

4 Je complète les phrases.

Paul   Mon chien   Farine   un frère

J'ai   Je m'appelle   Ma mère

A . . . . Stella Garcia.

B . . . . 5 ans.

C Mon papa s'appelle . . . .

D . . . . s'appelle Juliette.

E J'ai . . . . Il s'appelle Victor.

F . . . . s'appelle Titus et mon chat s'appelle . . . .

5 Je relie les étiquettes aux endroits correspondants du dessin.

une armoire   un cartable   une bibliothèque   une chaise   une table

une pendule   un globe terrestre   une corbeille à papier   une affiche

1 Je complète les phrases.

| ce | cette | ces |

A – Combien coûtent . . . . stylos et . . . . trousse ?

B – . . . . cartable est horrible. Je n'aime pas du tout . . . . couleur !

C – Tu préfères . . . . feutres ou . . . . crayons de couleurs ?

D – Qu'est-ce que tu veux ? – . . . . taille-crayon. Et aussi . . . . gomme.

E – Prends . . . . cahier bleu !

F – Je préfère . . . . classeur rouge !

2 Je choisis l'adjectif et je réécris les phrases à la forme correcte.

– Ce cartable est **cher / chère**.

– *Ce cartable est cher.* . . . .

– Elle est **petit / petite**.

– . . . .

– Ils sont **laids / laides**.

– . . . .

– Ce supermarché est **grand / grande**.

– . . . .

– Cette trousse est **gros / grosse**.

– . . . .

– Ces baskets sont **beaux / belles**.

– . . . .

3 Je lis chaque texte et j'associe au cartable correspondant.

C'est un cartable rouge avec des yeux, une bouche et des grandes dents. Il est très rigolo !

C'est un cartable vert avec un cheval rose et violet. Il est trop petit !

C'est un cartable violet avec une étoile rose. Il est très beau !

C'est un sac à dos rose avec des pois verts. Il est trop grand !

4 J'écoute et je colorie les cartables.

Cartable de Lucas

Cartable d'Anaïs

Cartable de Mathias

 5 J'écoute et je numérote la photo correspondant au dialogue.

6 Je remets ce dialogue dans le bon ordre.

Non, je préfère le français. Et toi ?

Moi, je préfère le sport. Et les mathématiques, tu aimes ?

Je préfère les arts plastiques. J'adore le dessin. Et toi ?

Tu préfères le sport ou les arts plastiques ?

Moi aussi, je préfère le français.

7 J'écoute et j'entoure les mots entendus.

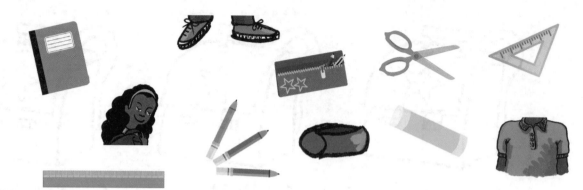

8 J'observe et j'entoure sur l'image B les sept différences.

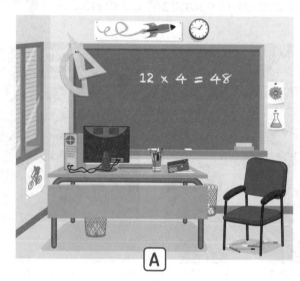

A

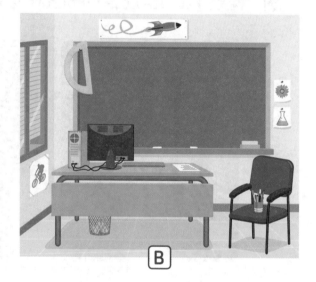

B

9 J'écoute et je coche la bonne réponse.

	[ɛ]	[e]			[ɛ]	[e]
mot 1	☐	☐	[ɛ] zèbre	mot 6	☐	☐
mot 2	☐	☐		mot 7	☐	☐
mot 3	☐	☐		mot 8	☐	☐
mot 4	☐	☐	[e]	mot 9	☐	☐
mot 5	☐	☐	éléphant	mot 10	☐	☐

 10 J'écoute et je complète l'emploi du temps de Victor.

	Lundi	**Mardi**	**Jeudi**	**Vendredi**
Matin			Mathématiques	Français
Déjeuner				
Après-midi	Histoire-Géographie		Sport	

11 J'écris un message à un ami français.
Je raconte ma journée de rentrée des classes.

```
● ○ ○
De :
À :
Objet : Mon premier jour d'école
```

12 J'écris les nombres en lettres et je découvre le nombre caché.

48 →

13 →

35 →

56 →

60 →

22 →

. . . .

13 J'ordonne les éléments du plus petit au plus grand et j'écris les nombres en chiffres.

1	vingt et un	21
	quarante	
	trente-trois	
	quarante-deux	
	trente-quatre	
	cinquante-sept	
	trente-neuf	
	vingt-huit	
	cinquante-six	
	vingt-cinq	

14 Je complète avec le nom des mois et des saisons manquants.

15 Je lis et j'associe les dates aux saisons.

A	Jeudi 31 mars
B	Lundi 15 juillet
C	Vendredi 1er novembre
D	Dimanche 10 janvier
E	Mardi 23 octobre
F	Samedi 3 septembre
G	Mercredi 19 juin

16 J'écris la date de la rentrée des classes dans mon pays.

Les mots

17 J'entoure le nom des saisons.

| Mai | Lundi | Septembre | Dimanche | Avril | Août |

| Novembre | Hiver | Janvier | Juin | Printemps | Mars |

| Automne | Mardi | Samedi | Juillet | Été |

18 J'associe les syllabes et je retrouve les sept jours de la semaine.

che · di · same · di · di · jeu · credi · di · mer · vendre · diman · di · lun · mar

A ....

B ....   E ....

C ....   F ....

D ....   G ....

19 Je mets les lettres dans le bon ordre et j'écris les matières scolaires.

O I R I S T
L'H _ _ _ _ _ _ E

R A I Ç A N
LE F _ _ _ _ _ S

U I Q Q S U
LA M _ _ _ _ E

A Q T M H U É A T E I
LES M _ _ _ _ _ _ _ _ _ S

C E E C I N
LES S _ _ _ _ _ S

20 J'écoute et je complète avec é ou è.

r __ gle   ch __ re   __ cole   __ querre

pr __ f __ res   f __ vrier   supermarch __

po __ me   __ t __   __ l __ ve

21 Je complète les dominos.

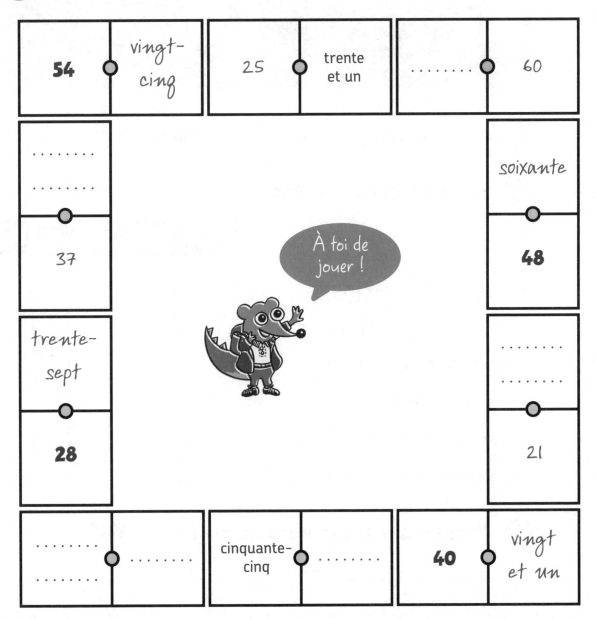

54	vingt-cinq
25	trente et un
. . . .	60

. . . .	soixante
37	**48**

trente-sept	. . . .
28	21

À toi de jouer !

. . . .	. . . .	cinquante-cinq	. . . .	**40**	vingt et un

Mes progrès en français

22 J'associe les photos aux dialogues.

A

B

☐ - Ces baskets vertes sont très jolies ! Tu aimes la couleur ?
- Non, elle est horrible. Je préfère ces baskets roses !

☐ - Vous préférez les sciences ou l'histoire ?
- Moi, je préfère les sciences.
- Moi, je n'aime pas les sciences mais j'adore l'histoire.

23 Je joue ces dialogues avec mes camarades.

24 Je complète le tableau.

	Pas du tout	Un peu	Beaucoup
Je suis capable de décrire un objet.	☐	☐	☐
Je sais demander et exprimer une préférence.	☐	☐	☐
Je peux demander et dire la date.	☐	☐	☐
Je connais les mois et les saisons.	☐	☐	☐
Je peux présenter mon emploi du temps.	☐	☐	☐
Je suis capable de compter jusqu'à 60.	☐	☐	☐

25 J'écris l'emploi du temps de mon jour préféré.

....

....

Je découvre

La rentrée des classes

26 J'observe et je lis.

Manon habite en France. Pour Manon, la rentrée des classes, c'est en septembre. Pour la rentrée, elle va à l'école à pied avec son père ou sa mère.

Ana habite en Argentine. Pour Ana, la rentrée des classes, c'est en février. Le jour de la rentrée, elle va à l'école en voiture avec ses parents.

27 J'associe les drapeaux aux pays et j'indique le mois de la rentrée des classes.

Septembre   **Février**

Voici l'équateur !

Manon habite en France.

Ana habite en Argentine.

Djamila habite en Algérie.

Stefano habite au Brésil.

Mario habite en Angola.

z○○m 1

1 Je complète les phrases avec les verbes au présent.

se laver   prendre le petit déjeuner   se coucher

se réveiller   faire ses devoirs   aller à l'école

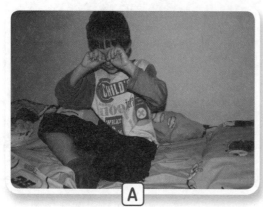

A

Il *se réveille.* . . . .

B

Il . . . .

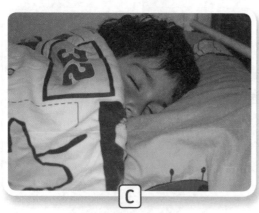

C

Il . . . .

D

Il . . . .

E

Il . . . .

F

Il . . . .

2 J'écoute et j'écris la lettre des photos précédentes sous l'horloge correspondante.

 3 J'écoute et je complète la chanson.

Tous les ...matins..........,
C'est le même refrain.
À ...., je me réveille,
Mais j'ai encore sommeil.
.... du bon pied.
.... mon petit déjeuner.
Il .... et ....
.... et je m'habille.
Huit heures ! Quelle horreur !
Je me dépêche, c'est déjà l'heure !
Vite, ... et ....!
.... arriver en retard.

4 Je dis à quelle heure je fais ces activités.

 - Je me réveille à . . . .

- Je prends mon petit déjeuner à . . . .

- Je me lave et je m'habille à . . . .

- Je vais à l'école à . . . .

5 Je lis et je complète les horloges.

Il est cinq heures.   Il est neuf heures trente.   Il est midi.

Il est quinze heures quinze.   Il est six heures et quart.

 6 J'écoute et j'écris le numéro sous l'horloge correspondante.

16:30   08:15   21:00   07:30   08:00

7 Je lis et je complète les phrases.

- Hugo va à l'école ✚  ....

- Chloé va au supermarché ✚  ....

- Mélissa rentre à la maison ✚  ....

- Moi, je vais à l'école ✚ **?** ....

8 J'écris ce que je fais après l'école.

9 J'écoute et j'entoure le mot entendu.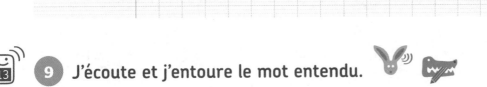

douce   poisson   dessert   tresse   coussin

（douze）   poison   désert   treize   cousin

14 **10** J'écoute et je coche quand j'entends [s] ou [z].

	[s]	[z]
mot 1	☐	☐
mot 2	☐	☐
mot 3	☐	☐
mot 4	☐	☐
mot 5	☐	☐
mot 6	☐	☐
mot 7	☐	☐
mot 8	☐	☐

11 Je complète le dialogue avec les verbes.

dois	dois	peux	pouvons	devons	peux	veux

A : Chloé, tu . . . . venir à la maison après l'école ?

B : Non, je ne . . . . pas. Je . . . . aller

au supermarché avec ma mère.

A : Et toi Lisa ? Tu . . . . venir chez moi ?

C : Ouais, super ! Mais je . . . . rentrer à la maison à 6 heures.

A : Nous . . . . regarder un DVD !

C : Bonne idée ! Et avant, nous . . . . prendre notre goûter.

12 J'écoute et je complète le dialogue.

Professeur : – Tu . . . . mettre ton pied ici.

Élève : – Je ne . . . . pas. C'est trop haut.

Professeur : – Tu . . . . de l'aide ?

Élève : – Non merci. On . . . . faire une autre activité ?

13 J'écris la forme négative.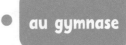

A | Lisa peut aller chez Mélissa. ➡ . . . .

B | Je veux regarder un DVD. ➡ . . . .

C | Chloé doit aller au supermarché avec sa mère. ➡ . . . .

. . . .

 14 J'écoute et j'associe.

 • •  • • **au stade de foot**

 • • • • **au gymnase**

 • • • • **à la piscine**

Les mots

 17 **15** J'écoute et je numérote le moyen de transport utilisé.

16 J'observe et je complète.

badminton

à deux

les sports

en salle

individuels

en extérieur

| judo | tennis | natation | trampoline | gymnastique | rugby | athlétisme |

17 Je lis et je barre l'intrus.

A | le trampoline | la poutre | les devoirs | la corde à sauter

B | la voiture | le bus | le vélo | l'école

C | le badminton | le judo | la natation | les sciences

18 Je cherche les mots dans la grille.

A	C	I	G	E	N	I	C	L	S	B	M
C	P	O	U	T	R	E	B	A	A	A	C
A	T	H	L	E	T	I	S	M	E	D	A
L	T	C	T	O	C	R	V	I	B	M	D
O	C	H	A	V	O	L	A	N	T	I	G
T	A	J	R	R	R	N	C	A	T	N	A
L	D	O	E	I	D	S	T	U	I	T	B
H	R	A	Q	U	E	T	T	E	T	O	X
F	L	I	V	R	I	S	I	E	U	N	D

POUTRE

ATHLÉTISME

BADMINTON

CORDE

RAQUETTE

VOLANT

19 Je dessine l'équipement de mon sport préféré.

Mes progrès en français

20 Je fais une enquête auprès de mes camarades.

A	Quel sport tu pratiques ?
B	Quels jours tu fais du sport ?
C	Tu te couches à quelle heure ?
D	Comment est-ce que tu vas à l'école ?
E	Quelle est ton activité préférée ?

21 Je complète le tableau.

	Pas du tout	Un peu	Beaucoup
Je sais dire et demander l'heure.	☐	☐	☐
Je peux parler de mes activités quotidiennes.	☐	☐	☐
Je peux inviter quelqu'un.	☐	☐	☐
Je connais le vocabulaire du sport.	☐	☐	☐
Je sais dire quel moyen de transport j'utilise.	☐	☐	☐
Je sais accepter ou refuser une invitation.	☐	☐	☐

22 J'explique à un camarade ce que je fais le week-end.

De :

À :

Objet :

Les moyens de transport

23 J'observe et j'associe les étiquettes aux photos.

A moderne   **B** traditionnel   **C** international

24 Je complète les phrases.

- Dans mon pays, il y a des moyens de transport modernes comme...

....

....

- Dans ma ville, il y a des moyens de transport traditionnels comme...

....

....

1 J'écoute et je dis si c'est vrai ou faux. Je corrige si nécessaire.

	vrai	faux
Victor doit passer devant le parc.	☒	☐
Il va aller au musée en métro.	☐	☐
Il va au musée pour observer les peintures des artistes.	☐	☐
Après l'école, il doit tourner à gauche.	☐	☐
Le musée est au 85 de la rue Legrand.	☐	☐

2 J'observe et je complète.

sur   devant   derrière   ~~dans~~   sous

Ils sont . . . . les affiches de cinéma.

Ils sont .dans. la poissonnerie.

Le chat est . . . . la voiture.

Elles sont . . . . Mathis.

Ils sont . . . . le restaurant.

3 J'observe la carte et je corrige les phrases.

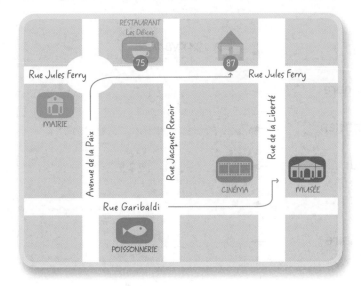

A La poissonnerie est dans la rue Jules Ferry.

. . . .

B Le restaurant est au numéro 75 de la rue de la Liberté.

. . . .

C La mairie est à droite du restaurant.

. . . .

D Le musée est derrière le cinéma.

. . . .

4 Je lis la description et j'écris la profession.

A Il travaille dans une boulangerie. → Le . . . .

B Il travaille à la Poste. → Le . . . .

C Il travaille à la poissonnerie. → Le . . . .

D Il est responsable de la mairie. → Le . . . .

E Elle travaille à la pharmacie. → La . . . .

5 J'écris ces professions au masculin ou au féminin.

Le serveur   →   *La serveuse* ....

La boulangère   →   ....

Le pharmacien   →   ....

Le vendeur   →   ....

L'actrice   →   ....

La vétérinaire   →   ....

6 Je complète avec le verbe *aller* à la forme correcte.

A   Je .... au supermarché avec maman.

B   Tu .... à l'école à pied ?

C   Nous .... au parc mercredi après-midi.

D   Ils .... au musée pour regarder les tableaux.

E   Vous .... à la papeterie pour acheter des fournitures scolaires.

> Je vais à l'école pour étudier le français.

7 Je complète les phrases avec les articles.

| au | à la | à l' |

A   Nous, on va .... piscine pour nager.

B   Moi, je vais .... cinéma pour voir le dernier *Harry Potter.*

C   Victor, lui, il va .... poissonnerie pour acheter du poisson.

D   Maman et moi, nous allons .... restaurant pour manger une bonne pizza.

E   Tu vas .... supermarché pour acheter du chocolat.

8 Je dessine les directions.

Tourner à droite.	Aller tout droit.	Tourner à gauche.

9 J'écoute et je trace l'itinéraire.

Avenue de la Paix

Boulevard Joffre

MAIRIE

Rue Garibaldi

Rue Jules Ferry

CINÉMA

Rue Jacques Renoir

COIFFEUR

Rue de la Liberté

LA POSTE

RESTAURANT

Rue des fleurs

Rue des fleurs

GYMNASE

10 J'écris à un camarade de classe pour l'inviter chez moi. Je lui explique le chemin depuis l'école.

11 Je dis et j'écris où je vais pour faire ces actions.

- Acheter un livre. → *Pour acheter un livre, je vais à la librairie.*

- Acheter une baguette. → ....

- Lire un livre d'histoire. → ....

- Poster une lettre. → ....

- Acheter des feuilles et des crayons. → ....

- Acheter du poisson. → ....

- Acheter des fleurs. → ....

12 Je transforme les phrases avec *on*.

A **Nous allons** à la pharmacie. ....

B Pour acheter du papier, **nous allons** à la papeterie.

....

C **Nous achetons** des pains au chocolat pour le petit déjeuner.

....

D **Nous voulons** aller au parc pour jouer. **Nous pouvons** aller chez Julie demain.

....

13 Je complète.

soixante-dix, ..., soixante-douze, soixante-treize, soixante-

quatorze, soixante-quinze, ..., soixante-dix-sept, soixante-

dix-huit, ..., ..., quatre-vingt-un,

quatre-vingt-deux, quatre-vingt-trois, quatre-vingt-quatre, ...,

........................, quatre-vingt-sept, quatre-vingt-huit, ...

📱20 **14** J'écoute et je note le numéro. 🐰 🐊

A - Moi, j'habite au . . . . rue Jules Ferry.

B - Moi, j'habite au . . . . boulevard Saint-Germain.

C - J'habite au . . . . de la rue de la Liberté.

D - On habite rue des Fleurs au . . . .

📱21 **15** J'écoute et j'entoure les mots avec le son [wa]. 🐰 🐊

devoirs

voir

musée

cinéma

droite

pompier

maison

poissonnier

soixante

16 Je colorie le son [wa].

poisson

boulanger

voici

droit

voir

moi

magasin

restautant

jardin

soixante

quartier

gauche

trois

droite

Les mots

17 Je calcule et j'écris le résultat en lettres.

A **40 + 31 =** ....

B **35 + 50 =** ....

C **62 + 26 =** ....

D **70 + 22 =** ....

E **44 + 32 =** ....

18 J'associe les éléments entre eux.

Le fleuriste... ●   ● ...vend des médicaments.

Le maire... ●   ● ...distribue le courrier.

Le pharmacien... ●   ● ...vend du poisson.

Le facteur... ●   ● ...vend des fleurs.

Le poissonnier... ●   ● ...est responsable de la mairie.

19 J'associe un objet à un lieu.

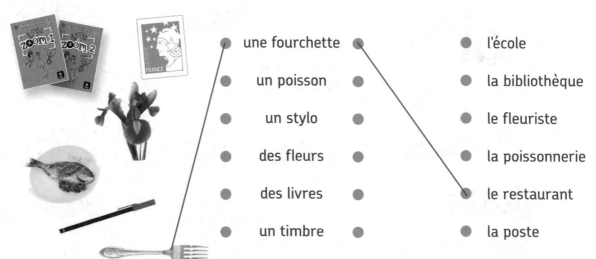

une fourchette ●   ● l'école

un poisson ●   ● la bibliothèque

un stylo ●   ● le fleuriste

des fleurs ●   ● la poissonnerie

des livres ●   ● le restaurant

un timbre ●   ● la poste

20 J'écoute et je complète la chanson.

Des . . . . et . . . . ,

Avec des fleurs aux balcons.

Voici le . . . . public où je joue de la musique.

Moi, j'adore mon . . . . ,

Il est vraiment super.

Viens donc le visiter, moi, j'habite à Nevers.

Dans la . . . . du commerce,

Il y a plein de . . . .

Et puis un très grand . . . . où je mange super bien.

Moi, j'adore . . . . ,

Il est vraiment tranquille. Tu veux le visiter ?

Viens donc me voir à Lille.

21 Je cherche les mots dans la grille.

I	X	U	O	E	G	I	C	L	S	A
M	P	P	N	T	Y	E	B	T	A	D
M	Y	M	L	E	M	I	S	I	E	R
E	T	O	U	R	N	E	R	M	O	E
U	F	A	C	V	A	L	A	B	T	S
B	I	Z	M	U	S	E	E	R	T	S
L	E	A	R	U	E	S	T	E	I	E
E	R	Q	U	A	R	T	I	E	R	O

IMMEUBLE

GYMNASE

QUARTIER

MUSÉE

RUE

ADRESSE

TIMBRE

TOURNER

Mes progrès en français

22 Je donne mon adresse à un camarade.

J'habite...

23 Je complète le tableau.

	Pas du tout	Un peu	Beaucoup
Je sais donner mon adresse.	☐	☐	☐
Je sais demander et indiquer un chemin.	☐	☐	☐
Je peux localiser des lieux et m'orienter.	☐	☐	☐
Je peux compter jusqu'à 100.	☐	☐	☐
Je connais des noms de commerces.	☐	☐	☐
Je connais des noms de professions.	☐	☐	☐

24 Je décris ma ville.

25 Je décris mon lieu préféré dans ma ville.

Je découvre

Les villes

26 J'observe et je lis.

Adelaïde habite à Albi, une petite ville. C'est une ville ancienne avec un centre historique. Elle habite dans une maison avec un jardin.

Jean habite à Lille. Lille est une grande ville. C'est une ville ancienne avec des quartiers modernes. Il habite dans un petit appartement dans un immeuble. Pour jouer, il va dans un parc.

27 J'associe les éléments.

- une maison
- une petite ville
- une grande ville
- un immeuble
- un appartement

Adelaïde

Jean

Moi

jouer dans le jardin

jouer dans un parc

28 Je dessine ma rue et ma maison.

1 Je lis et je coche l'image correspondant à la description.

> Aujourd'hui, il fait froid. Je vais mettre mon pull rose en laine. Je l'adore, il est super chaud ! Je mets aussi ma jupe bleue en velours.

> Il fait très chaud dehors. Je vais mettre mon nouveau maillot de bain vert. Il est trop beau ! Je vais prendre mes lunettes de soleil et mon chapeau de paille aussi.

☐   ☐   ☐   ☐

2 J'écoute et j'entoure les vêtements entendus.

3 Je cherche les mots dans la grille.

A	C	B	O	T	T	E	S	L	C	B
C	P	O	I	G	R	E	B	A	H	A
L	T	H	L	P	U	L	L	M	A	D
J	U	P	E	O	C	R	V	I	U	M
O	C	N	A	C	H	E	M	I	S	E
T	A	J	E	R	O	N	C	V	S	N
L	D	O	E	T	D	S	T	U	O	T
S	U	R	V	E	T	E	M	E	N	T
F	L	I	F	R	I	E	I	E	S	N
O	R	F	H	Y	M	O	S	D	G	I

- ~~BOTTES~~
- LUNETTES
- SURVÊTEMENT
- CHAUSSONS
- JUPE
- CHEMISE
- PULL

4 Je complète le tableau.

un maillot de bain · des bottes · une écharpe · ~~un gilet~~
un pantalon · une chemise · des gants · des collants
un imperméable · un manteau · un short · une robe

AUTOMNE

. . . .

. . . .

. . . .

HIVER

. . . .

. . . .

. . . .

PRINTEMPS

Un gilet . . . .

. . . .

. . . .

ÉTÉ

. . . .

. . . .

. . . .

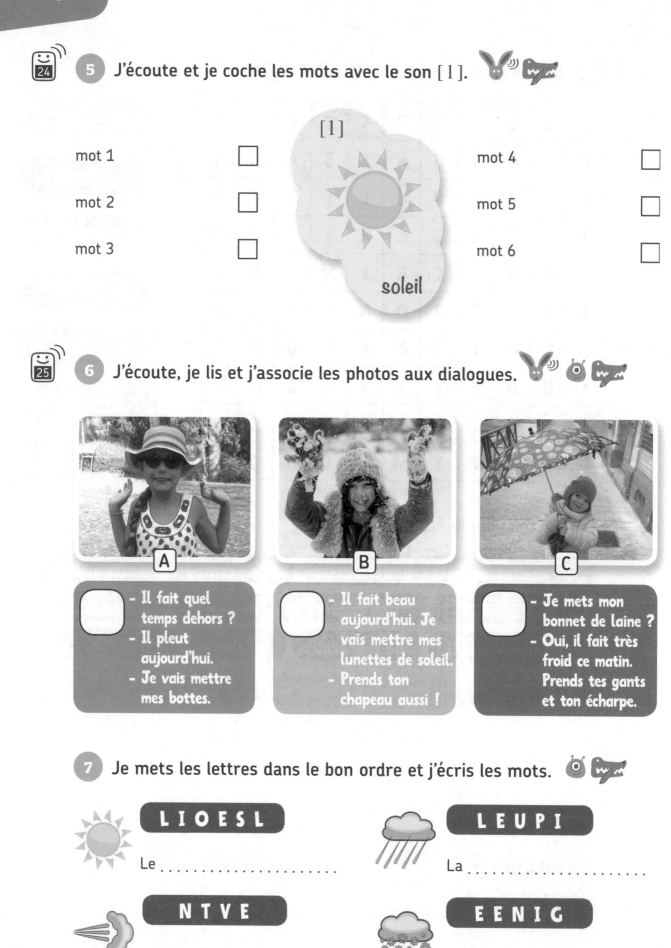

24 **5** J'écoute et je coche les mots avec le son [l].

[1]

mot 1 ☐   soleil   mot 4 ☐

mot 2 ☐   mot 5 ☐

mot 3 ☐   mot 6 ☐

25 **6** J'écoute, je lis et j'associe les photos aux dialogues.

A   B   C

◯ – Il fait quel temps dehors ?
– Il pleut aujourd'hui.
– Je vais mettre mes bottes.

◯ – Il fait beau aujourd'hui. Je vais mettre mes lunettes de soleil.
– Prends ton chapeau aussi !

◯ – Je mets mon bonnet de laine ?
– Oui, il fait très froid ce matin. Prends tes gants et ton écharpe.

7 Je mets les lettres dans le bon ordre et j'écris les mots.

LIOESL
Le . . . .

LEUPI
La . . . .

NTVE
Le . . . .

EENIG
La . . . .

8 Je lis et j'associe les photos aux cartes postales.

Bonjour mamie,
Je suis à la montagne. Je fais du ski. Il neige beaucoup et il fait très froid. J'adore la neige.
Gros bisous,
Luca

Renée Marie
12 rue des Matous
37110 Les bois Marie

A

Bonjour mamie,
Je suis à la montagne. On fait des balades. Il fait chaud. Je préfère la montagne en hiver avec de la neige !
Bisous, Julie.

Violette Souane
15 rue des Rosiers
04000 Digne

B

Bonjour mamie,
Je suis à la mer. Il fait très beau et très chaud. J'aime la plage. Je m'amuse beaucoup !
Gros bisous,
Mila.

Ginette Barbier
45 rue des Dindons
74003 Sabliers

C

9 Je relie avec les éléments possibles.

Il fait   Il   Il y a

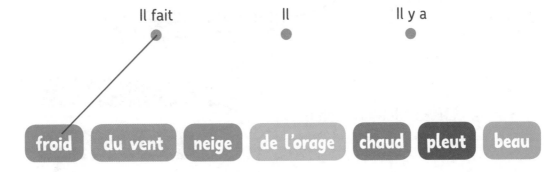

froid   du vent   neige   de l'orage   chaud   pleut   beau

Unité 4

26 **10** J'écoute et je remets les phrases en ordre.

Cet après-midi, on va aller chez le docteur.

Tu vas rester à la maison, ce matin.

J'ai très mal à la gorge, maman.

Après, on va acheter des médicaments à la pharmacie.

 27 **11** J'écoute et j'entoure la bonne réponse.

Mélissa a mal **à la tête.** / **à la gorge.**

Elle a très **chaud.** / **froid.**

Ce matin, elle va **rester à la maison.** / **aller à l'école.**

Cet après-midi, elle va **aller chez le docteur.** / **rester à la maison.**

Elle va acheter des médicaments **au supermarché.** / **à la pharmacie.**

12 Je transforme les phrases.

MAINTENANT	PLUS TARD
A Je fais du ski.	Je vais faire du ski.
B Nous mettons un imperméable.	. . . .
C Il neige.	. . . .
D Elles prennent des lunettes de soleil.	. . . .
E Tu vas chez le docteur.	. . . .
F Vous achetez des médicaments.	. . . .

13 Je complète les phrases.

Tu   **on**   **nous**   **Vous**   **Ils**

A Demain, ... allons faire du ski.

B . . . . allez faire un bonhomme de neige ?

C . . . . vont mettre une écharpe. Il fait froid dehors !

D . . . . vas avoir trop chaud. Prends ton chapeau en paille !

E Cet après-midi, ... va faire de la luge avec Sophie.

14 J'associe les étiquettes entre elles.

Je suis malade.	Je mets mon manteau et mon écharpe.
Je suis fatiguée.	Je vais prendre un médicament.
J'ai froid.	Je vais enlever mon pull.
J'ai chaud.	Je vais dormir.

Les mots

15 J'écris sous chaque photo la saison correspondante.

| HIVER | ÉTÉ | PRINTEMPS | AUTOMNE |

. . . .

16 J'associe les mots aux photos correspondantes.

j'ai froid   j'ai chaud

17 Je complète les phrases.

A Il y a de la pluie. → Il fait . . . .

B Il y a de la neige. → Il fait . . . .

C Il fait 30 degrés. → Il fait . . . .

D Il y a du vent. → Il fait . . . .

18 J'écris trois vêtements d'hiver et trois vêtements d'été. 🐊✏️

❄ : . . . . ☀ : . . . .

❄ : . . . . ☀ : . . . .

❄ : . . . . ☀ : . . . .

19 J'aide Zoom à retrouver son bonnet. Attention ! Il ne peut passer que sur les photos avec les sons [ʁ] ou [l]. 🐊✏️

DÉPART

ARRIVÉE

Mes progrès en français

20 Je choisis et je décris une photo.

A

B

C

21 Je complète le tableau.

	Pas du tout	Un peu	Beaucoup
Je suis capable de parler de la météo.	☐	☐	☐
Je sais dire comment je m'habille.	☐	☐	☐
Je peux décrire un vêtement.	☐	☐	☐
Je peux dire ce que je vais faire.	☐	☐	☐
Je peux parler de mon état de santé.	☐	☐	☐

22 J'écris le temps qu'il fait aujourd'hui.

Je découvre

Les vêtements

23 J'observe.

vêtement traditionnel japonais

vêtement traditionnel breton (France)

24 Je dessine le costume traditionnel de mon pays ou de ma région.

25 J'associe les éléments.

- une robe
- une jupe
- un tee-shirt
- un short
- un pantalon
- un bonnet
- des gants
- un manteau

À Paris, en été

À Paris, en hiver

les filles

les garçons

26 Je dis les vêtements que je porte en janvier ou en juillet.

zoom 1

1 J'écoute et j'écris le numéro du message sous l'image correspondante.

   2

2 J'écris les ordres correspondant aux images.

 + = Ne mange pas ! ....

 + = ...

 + = ...

 + = ...

3 Je transforme les phrases comme dans l'exemple.

Va au musée aujourd'hui ! → Ne va pas au musée aujourd'hui ! ......

Parle avec ton ami ! → ....

Mets ta bouteille dans ton sac ! → ....

4 J'écoute et j'entoure la bonne réponse.

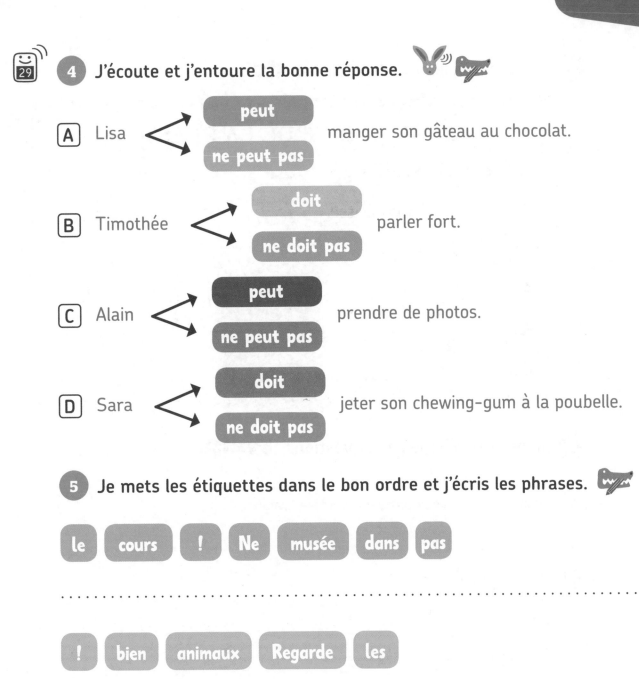

A Lisa
- peut
- ne peut pas

manger son gâteau au chocolat.

B Timothée
- doit
- ne doit pas

parler fort.

C Alain
- peut
- ne peut pas

prendre de photos.

D Sara
- doit
- ne doit pas

jeter son chewing-gum à la poubelle.

5 Je mets les étiquettes dans le bon ordre et j'écris les phrases.

le | cours | ! | Ne | musée | dans | pas

....

! | bien | animaux | Regarde | les

....

6 J'écoute et je colorie les mots avec le son [ɛ̃].

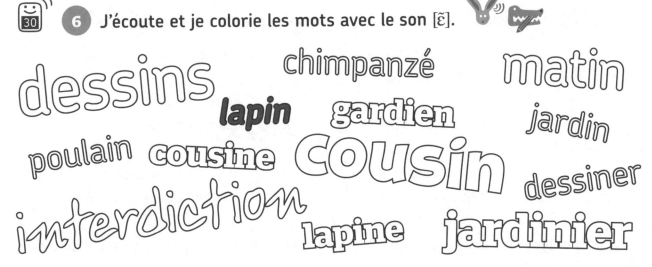

dessins   chimpanzé   matin   lapin   gardien   jardin   poulain   cousine   cousin   dessiner   interdiction   lapine   jardinier

7 J'écris le règlement de la classe. 🐊

RÈGLEMENT DE LA CLASSE

1. Écoutez la maîtresse.

2. Ne pas parler en classe.

3. . . . .

4. . . . .

5. . . . .

6. . . . .

---

8 Je lis et je réponds aux questions. 🐊

A Pourquoi tu ne veux pas venir voir les araignées ?

. . . .

B Pourquoi tu es content ?

. . . .

C Pourquoi tu vas au musée ?

. . . .

9 J'associe la question à la réponse correspondante. 👽 🕷

Pourquoi il range sa
bouteille dans son sac ?   •   • Parce qu'elle n'a pas faim.

                                                 • Parce qu'on préfère
                                                    aller au musée.

Pourquoi elle pleure ?   •

Pourquoi vous ne venez   • Parce qu'il ne peut
pas au cinéma avec nous ?   •   pas boire dans le musée.

Pourquoi Mélissa ne mange pas ?   •   • Parce qu'elle a très mal au ventre.

10 Je coche la bonne réponse.

	tu	vous
Quand je parle à un ami, je dis...	☒	☐
Quand je demande quelque chose à mes parents, je dis...	☐	☐
Quand je pose une question au guide du musée, je dis...	☐	☐
Quand je demande du pain à la boulangère, je dis...	☐	☐
Quand je parle à mon professeur, je dis...	☐	☐
Quand je parle à mon frère ou à ma sœur, je dis...	☐	☐

11 Je complète les phrases.

tu   vous

- Mickaël, ... veux venir avec moi au musée cette après-midi ?

- . . . . pouvez nous prendre en photo, Monsieur, s'il vous plaît ?

- Madame, ... êtes la guide du musée ?

- Johanna, range ta bouteille dans ton sac. . . . . ne peux pas boire ici.

- Maman, ... connais le nom de cet animal ?

31

12 J'écoute et je coche la bonne réponse.

	un ami	un inconnu
Dialogue 1 : Lucas parle à...	☐	☐
Dialogue 2 : Jean parle à...	☐	☐
Dialogue 3 : Louis parle à...	☐	☐

13 J'associe la question à la réponse correspondante.

Quel...

Quelle...

Quels...

Quelles...

...est la taille de ce tyrannosaure ?

...est le poids de cet éléphant ?

...sont tes animaux préférés ?

...est le nom de cet oiseau ?

...est la couleur de ce papillon ?

...sont vos photos préférées ?

...âge a ce dinosaure ?

14 Je lis et je retrouve les questions.

A : Alors les enfants, quel est le nom de cet animal ?

B : C'est un éléphant.

C : Non ! C'est un tyrannosaure. Il mesure 12 mètres de long et 4 mètres de haut.

A : Et d'après vous, quel est son poids ?

B : Il est très lourd.

A : Oui, Il pèse 5 tonnes.

C : Oh, ça fait peur !

B : Il a quel âge ?

A : Il est très vieux.

A : – Quel est le nom de cet animal ?

– C'est un tyrannosaure.

B : – ....?

– Il mesure 12 mètres de long et 4 mètres de haut.

C : – ....?

– Il pèse 5 tonnes.

D : – ....?

– Il est très vieux !

15 J'écoute et je colorie la bonne syllabe.

pince

pan pon
pin

timbre

tim tom
tem

peinture

pin pein
pon

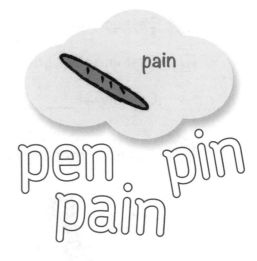
pain

pen pin
pain

16 J'écris la bonne phrase sous chaque photo.

C'est génial !   C'est drôle !   C'est bizarre !

. . . .

Les mots

17 Je lis et je devine les animaux.

| FIEARG | AÉTPLHÉN | ÉEBZR | SOER FATAMLN |

A C'est un animal noir et blanc. Il ressemble à un cheval. Il vit en Afrique.

C'est un ➜ __ __ __ __ __.

B C'est un oiseau. Il a de très longues pattes. Il est rose.

C'est un ➜ __ __ __ __ __ __ __   __ __ __ __.

C C'est un animal jaune avec des tâches marron. Il a un très long cou.

C'est une ➜ __ __ __ __ __ __.

D C'est un animal gris. Il a de grandes oreilles et une trompe. Il est très lourd.

C'est un ➜ __ __ __ __ __ __ __ __.

18 J'associe mes réponses aux dessins correspondants.

 19 J'écoute et je répète les mots.

20 Je complète la grille avec les noms des animaux.

Ils sont super ces animaux !

21 J'écris.

J'écris une chose effrayante. → ....

J'écris une chose géniale. → ....

J'écris une chose drôle. → ....

J'écris une chose bizarre. → ....

Mes progrès en français

22 Je remets les phrases du dialogue dans le bon ordre et je joue ce dialogue avec un camarade.

| Quelle est sa taille ? | C'est un panda géant. |

| Et quel est son poids ? | Quel est le nom de cet animal, Madame ? |

| Il mesure 1 mètre 60. | Il pèse 100 kilos environ. |

Jordan : Quel est le nom de cet animal, Madame ?

La guide : ....

Jordan : ....

La guide : ....

Jordan : ....

La guide : ....

23 Je complète le tableau.

	Pas du tout	Un peu	Beaucoup
Je peux comprendre et donner des instructions.	☐	☐	☐
Je peux demander et donner des informations.	☐	☐	☐
Je suis capable d'exprimer une opinion.	☐	☐	☐
Je peux parler poliment à quelqu'un.	☐	☐	☐
Je connais le nom des animaux.	☐	☐	☐
Je sais écrire le son [ɛ].	☐	☐	☐

24 Je décris mon animal préféré.

....

....

Je découvre

L'art

25 J'observe.

statue du Kenya

statue de Polynésie

statue de Grèce

statue de Bolivie

26 J'observe cette statue moderne et j'écris les différences et les ressemblances avec les statues anciennes.

....

....

....

....

....

1 J'écoute et je complète le dialogue.

- **Noah** : Moi, ... des bonbons à la pêche à la ligne.

- **Inès** : Et moi, ... au bingo.

 Et toi Emma, ... des ballons ?

- **Emma** : Oui. Et regardez Mathis. . . . . dans la chorale

 de madame Simonin.

2 J'écoute et j'associe les phrases aux photos.

3 Je relie avec les éléments possibles.

C'est génial ! C'est nul !

| Je m'amuse beaucoup ! | J'ai perdu à la pêche à la ligne ! | J'adore le chamboultou ! | Il n'y a pas de crêpes ! |

4 Je complète le message.

| elle a fait | On a mangé | On a rigolé | on a joué |

De : Enzo

À : papi et mamie

Objet : Bonjour !

Chers papi et mamie,

Samedi matin, ... au foot avec Abraham.

Ensuite, on a mangé chez lui. !

Il est très sympa, Abraham.

Sa mère cuisine très bien et . . . . un délicieux gâteau

au chocolat. . . . . tout le gâteau. J'adore le chocolat !

Je suis content parce que la semaine prochaine, Abraham vient chez moi !

À bientôt.

Enzo

5 J'associe les éléments et je complète les phrases.

vendre   ●   J'ai fait . . . .

perdre   ●   J'ai répété . . . .

faire   ●   J'ai écouté . . . .

écouter   ●   J'ai vendu *des gâteaux* . . . .

répéter   ●   J'ai perdu . . . .

6 Je conjugue les verbes au passé composé.

A Elle ..... *a perdu* .... (**perdre**) au chamboultou.

B Hier, j' .... (**manger**) au restaurant avec mes parents.

C Samedi, il .... (**écouter**) le CD de Jennifer.

D Le week-end dernier, on .... (**jouer**) au basket

et on .... (**perdre**).

E Nous .... (**faire**) nos devoirs pour demain.

F Hier, j' .... (**vendre**) des ballons à la kermesse.

7 J'écris ce que j'ai fait le week-end dernier.

8 J'écoute et je coche le verbe entendu.

aujourd'hui		hier	
Je regarde	☐	J'ai regardé	☐
Je joue	☐	J'ai joué	☐
Je parle	☐	J'ai parlé	☐
Je cuisine	☐	J'ai cuisiné	☐
Je mange	☐	J'ai mangé	☐
Je chante	☐	J'ai chanté	☐

zoom 2

 9 J'écoute et je dis si c'est vrai ou faux.

	vrai	faux
Les filles n'aiment pas la kermesse.	☐	☒
Louna a joué au chamboultou.	☐	☐
Louna a a gagné une peluche.	☐	☐
Aïna a perdu à la course en sac.	☐	☐
Aïna demande une crêpe.	☐	☐
Louna ne veut pas de gâteau.	☐	☐
Aïna veut de la confiture dans sa crêpe.	☐	☐
Il n'y a pas de crêpe au sucre.	☐	☐

 10 J'écoute et j'associe la règle au jeu correspondant.

Unité 6

11 Je coche les ingrédients corrects et j'écris les mots.

Dans les crêpes, il y a… / il n'y a pas… :

du . . . .

du . . . .

de l' . . . .

du . . . .

du . . . .

de la . . . .

12 Je présente un jeu de mon pays.

13 Je dis ce qu'il y a ou ce qu'il n'y a pas dans ces lieux.

À la fête de l'école

Au musée

En ville

À la fête de l'école, il y a des ballons…

14 Je complète les phrases. 🐊

| du | de la | de l' | des | de |

- À la kermesse, il y a ..... *des* ..... bonbons et .... jus d'orange.

- Au stand .... crêpes, il y a .... pâte à tartiner,

.... confiture et .... gâteaux. Il n'y a pas .... pizza.

- Au chamboultou, tu peux gagner .... peluches.

- Aujourd'hui, il n'y a pas .... devoirs.

15 Je complète avec le verbe *venir* à la forme correcte. 🐊

[A] Tu .... à la kermesse de mon école samedi ?

[B] Je .... chez toi à 18 heures.

[C] Je .... au gymnase à 17 heures.

[D] Tu .... jouer à la course en sac ?

[E] Léa .... manger une crêpe avec moi.

[F] Il .... chez moi demain.

16 J'écris la question correspondant à la réponse. 🐊

[A] Tu viens manger une crêpe ?

- D'accord, je viens manger une crêpe.

[B] ....

- Non, elle vient à 17 heures.

[C] ....

- Oui ! Nous venons jouer au bingo.

Unité 6

Les mots

17 Je complète les mots croisés avec les mots de la kermesse.

Tu peux utiliser le glossaire illustré pour faire cette activité !

62 soixante-deux

18 Je dis les choses que je trouve géniales et celles que je trouve nulles.

C'est génial !   C'est nul !

le chamboultou   la course en sac   la pêche à la ligne   le bingo

le déguisement   la kermesse   le maquillage

19 J'écris une phrase avec les mots proposés.

hier   chamboultou   rigoler

. . . .

ce week-end   cuisinier   génial

. . . .

samedi   perdre   nul

. . . .

 20 J'écoute et je colorie le son [e] en bleu et le son [ə] en rouge.

kermesse   jouer   maquillage

fanfare   peluche   barbe à papa

arbre   confiture   course   sucette

Mes progrès en français

21 Je coche mes activités du week-end dernier et je fais une enquête auprès d'un camarde.

	moi	mon camarade
Regarder la télé.	☐	☐
Faire du sport.	☐	☐
Aller au parc.	☐	☐
Aller au cinéma.	☐	☐
Aller au musée.	☐	☐

22 Je complète le tableau.

	Pas du tout	Un peu	Beaucoup
Je sais demander poliment.	☐	☐	☐
Je peux raconter ce que j'ai fait.	☐	☐	☐
Je peux exprimer mon mécontentement.	☐	☐	☐
Je sais conjuguer le verbe *venir*.	☐	☐	☐

23 J'écris ce que je veux faire à la kermesse de mon école.

Je découvre

Les fêtes

24 J'observe et j'associe les éléments des deux colonnes.

> Julia habite à Luanda en Angola.
> Elle fête le carnaval en février.

> **Elle va voir le feu d'artifice.**

> Salim habite à Nantes.
> Il fête l'Aïd avec sa famille.

> **Il reçoit des cadeaux.**

> Adama habite à Dakar.
> Il fête Noël avec sa famille.

> **Pour le carnaval, elle se déguise.**

> Claire habite à Lille.
> Elle fête le 14 Juillet.

> **Il mange des gâteaux.**

25 Je réponds à la question : quelles fêtes célèbres-tu ?

....

....

Glossaire

l'automne		un rouleau de scotch	
l'été		un taille-crayon	
l'hiver		un prix	
le printemps		une jupe	
une ardoise	1+1=2	un pantalon	
un cartable		un survêtement	
un classeur		vingt	20
un compas		trente	30
un dictionnaire		quarante	40
une équerre		cinquante	50
un livre	zoom 2	soixante	60
les jours de la semaine	lundi, mardi, mercredi, jeudi, vendredi, samedi, dimanche		
les mois de l'année	janvier, février, mars, avril, mai, juin, juillet, août, septembre, octobre, novembre, décembre		

Glossaire

Unité 2 : Après l'école

en bus		une raquette	
à pied		un volant	
en vélo		et demie	17:30
en voiture		et quart	09:15
faire ses devoirs		moins le quart	09:45
prendre le petit déjeuner		moins vingt	17:40
s'habiller		une horloge	
se coucher		midi	12:00
se laver		minuit	00:00
se réveiller		le matin	
le badminton		le soir	
monter à la corde		le gymnase	
la poutre		la sortie	

Unité 3 : En ville

le cinéma		le pharmacien	Il travaille à la pharmacie.
le fleuriste		le poissonnier	Il travaille à la poissonnerie.
le jardin public		à côté	
la mairie		en face	
le musée		loin	
la pharmacie		marcher tout droit	
la poissonnerie		tourner à droite	
la Poste		tourner à gauche	
le restaurant		près	
la rue		soixante-dix	70
le supermarché		quatre-vingts	80
le fleuriste	Il vend des fleurs.	quatre-vingt-dix	90
le maire	Il est responsable de la mairie.	cent	100

Unité 4 : Vive les vacances !

un anorak		une robe de chambre	
des après-ski		un flocon de neige	
un bonnet		la neige	
des chaussons		un nuage	
un col roulé		la pluie	
une couverture		le soleil	
une écharpe		un bonhomme de neige	
des gants		une boule de neige	
des lunettes de ski		un chalet	
des lunettes de soleil		le ski	
des moufles		des skis	
un pantalon		une luge	
un pull		un sapin	

Glossaire

une araignée		un panda	
un chameau		un papillon	
un chimpanzé		un poulain	
un crapaud		un raton laveur	
un crocodile		un renard	
un éléphant		un zèbre	
un flamant rose		un appareil photo	
une girafe		un gardien	
un guépard		un sac à dos	
un hibou		C'est bizarre !	C'est étrange !
un loup		C'est drôle !	C'est marrant ! C'est rigolo !
une mouette		C'est génial !	C'est super !
un ours		Ça fait peur !	C'est effrayant !

Unité 6 : La kermesse de l'école

une balle		un musicien	
le bingo		une peluche	
le chamboultou		une barbe à papa	
la course en sac		de la confiture	
la pêche à la ligne		une crêpe	
un sac		un gâteau	
un arbre		du jus de fruit	
un ballon		de la pâte à tartiner	
un clown		un sachet de bonbons	
une fanfare		un stand	
le maquillage		une sucette	

Auteurs
Gwendoline Le Ray, Claire Quesney, Manuela Ferreira Pinto

Révision pédagogique
Cécile Canon

Coordination éditoriale et rédaction
Lourdes Muñiz

Correction
Sarah Billecocq

Illustrations
Marie-Laure Béchet, Laurianne López, Mangas Verdes

Reportages photographiques
Marie-Laure Béchet, Cécile Canon, Lourdes Muñiz, García Ortega

Conception graphique, mise en page et couverture
Laurianne López, Luis Luján

Enregistrements
Coordination : Lourdes Muñiz, Séverine Battais

Musique
Pol Wagner

Chanteurs
Noa Addi, Mathieu Aupitre, Cécilia Debergh, Pierre Pugnière

Locuteurs
Carla Addi, Laetitia Addi, Noa Addi, Katia Coppola, Isabelle Dejean, Anton Fernández Dejean, Eulogio Fernández, Loris Fernández Dejean, Dominique Gravier, Tom Normand Gravier, Rémi Normand Gravier, Pau Ridameya Jan, Victoria Ridameya Jan

Bruitages et ressources sonores
www.universal-soundbank.com

Remerciements
Pour les reportages photographiques, nous tenons à remercier, d'une part, les élèves de la classe de CP/CE1 (2011-2012) de l'école Pierre Loti à Bourg-la-Reine, leurs parents, la municipalité, le personnel enseignant et le personnel communal et, d'autre part, Adélaïde Béchet, Zoé Béchet, Marie-Laure Béchet, Anton Fernández Dejean, Loris Fernández Dejean, Isabelle Dejean, Farah El Azzouzi-Espinosa, Manon Inorreta De Craene, Pau Ridameya Jan.

Couverture : Marie-Laure Béchet ;
Unité 1 p. 7 Kzenon/Fotolia.com, Vladislav Gajic/Fotolia.com, Pavel Losevsky/Fotolia.com, p. 8 artisticco/Fotolia.com, JungleOutThere /Fotolia.com, insima/Fotolia.com, p. 14 García Ortega, Eléonore H/Fotolia.com, p. 15 Prod. Numérik/Fotolia.com, Eléonore H /Fotolia.com ; **Unité 2** p. 16 Lourdes Muñiz, lajan/Fotolia.com, p. 19 lajan/Fotolia.com, Prod. Numérik/Fotolia.com, García Ortega, p. 21 NLshop/Fotolia.com, p. 22 Prod. Numérik/Fotolia.com, García Ortega, lajan/Fotolia.com, p. 25 Kenishirotie/Fotolia.com, Laiotz/Fotolia.com, cstyle/Fotolia.com, Masyanya/Fotolia.com, yanlev/Fotolia.com, lajan/Fotolia.com ; **Unité 3** p. 32 EMDL, Laurianne López, artisticco/Fotolia.com, Nitr/Fotolia.com, JungleOutThere/Fotolia.com, Igor Kovalchuk/Fotolia.com, p. 35 shaashimov/Fotolia.com, danieldefotograaf/Fotolia.com ; **Unité 4** p. 36 Alexandra Karamyshev/Fotolia.com, auremar/Fotolia.com, kreatorex/Fotolia.com, Peter Atkins/Fotolia.com, Lasse Kristensen/Fotolia.com, zergkind/Fotolia.com, Aleksandr Ugorenkov/Fotolia.com, Ruslan Kudrin/Fotolia.com, Jess Yu/Fotolia.com, Lorenzo Buttitta/Fotolia.com, Ruslan Kudrin/Fotolia.com, Alexey Astakhov/Fotolia.com, BEAUTYofLIFE/Fotolia.com, Africa Studio/Fotolia.com, inchic/Fotolia.com, p. 38 Adélaïde et Zoé Béchet, Chlorophylle/Fotolia.com, p. 39 auremar/Fotolia.com, pio3/Fotolia.com, Jacek Chabraszewski/Fotolia.com, p. 42 Jacek Chabraszewski/Fotolia.com, Zoé et Adelaïde Béchet, zergkind/Fotolia.com, Khvost/Fotolia.com, Gleam/Fotolia.com, Peter Atkins/Fotolia.com, Alexey Astakhov/Fotolia.com, Alexandra Karamyshev/Fotolia.com, Khvost/Fotolia.com, Ruslan Kudrin/Fotolia.com, p. 43 Khvost/Fotolia.com, Alexandra Karamyshev/Fotolia.com, Jess Yu/Fotolia.com, inchic/Fotolia.com, Gleam/Fotolia.com, Africa Studio/Fotolia.com, Lorenzo Buttitta/Fotolia.com, Aleksandr Ugorenkov/Fotolia.com, auremar/Fotolia.com, Peter Atkins/Fotolia.com, p. 44 Laurentiu Iordache/Fotolia.com, k_zhuravleva/Fotolia.com, Jörg Hackemann/Fotolia.com, p. 45 夢見る詩人/Fotolia.com, synto/Fotolia.com ; **Unité 5** p. 46 T. Michel/Fotolia.com, kotoyamagami/Fotolia.com, pedrolieb/Fotolia.com, Pavel Losevsky/Fotolia.com, Gina Sanders/Fotolia.com, ChantalS/Fotolia.com, p. 51 Ropix/Fotolia.com, Laurianne López, JungleOutThere/Fotolia.com, García Ortega, Lourdes Muñiz, Zoé et Adelaïde Béchet, p. 52 insima/Fotolia.com, F.Hernández/Fotolia.com, p. 53 Delmas Lehman/Fotolia.com, tomreichner/Fotolia.com, joseph_hilfiger/Fotolia.com, David DEMEYERE/Fotolia.com, DragoNika/Fotolia.com, p. 55 Sandra van der Steen/Fotolia.com, swisshippo/Fotolia.com, kanvag/Fotolia.com, Stanislav Nabatnikov/Fotolia.com, nanisimova/Fotolia.com ; **Unité 6** p. 56 farbkombinat/Fotolia.com, Paty Wingrove/Fotolia.com, Firma V/Fotolia.com, Adélaïde et Marie-Laure Béchet, p. 59 Pixinoo/Fotolia.com, helfei/Fotolia.com, p. 60 picsfive/Fotolia.com, yamix/Fotolia.com, karandaev/Fotolia.com, Comugnero Silvana/Fotolia.com, Antonio Gravante/Fotolia.com, p. 65 Jerome Dancette/Fotolia.com, Jasmin Merdan/Fotolia.com, Nolte Lourens/Fotolia.com, PAO joke/Fotolia.com ; **Glossaire illustré** p. 66 fkprojects/Fotolia.com, photlook/Fotolia.com, packelle/Fotolia.com, Ponchy/Fotolia.com, artisticco /Fotolia.com, p. 66 EMDL, artístico/Fotolia.com, p. 70 gromovataya/Fotolia.com, styeb/Flickr.com, David DEMEYERE/Fotolia.com, tomreichner/Fotolia.com, Delmas Lehman/Fotolia.com, JohanSwanepoel/Fotolia.com, Leon Forado/Fotolia.com, Mr.Papeete/Fotolia.com, joseph_hilfiger/Fotolia.com, hitman1234/Fotolia.com, GIPE25/Flickr.com, avarand/Fotolia.com, peupleloup/Flickr.com, wusuowei/Fotolia.com, hwongcc/Fotolia.com, DragoNika/Fotolia.com, MelenaVerde/Fotolia.com, Pim Leijen/Fotolia.com, photocreo/Fotolia.com, gubgib/Fotolia.com

N.B : Toutes les photographies provenant de www.flickr.com sont soumises à une licence Creative Commons (Paternité 2.0 et 3.0).

Toutes les ressources sonores provenant de www.freesound.org, www.forvo.com, www.universal-soundbank.com et www.sound-fishing.net sont soumises à une licence de Creative Commons sampling plus 1.0.
Tous les textes et documents de cet ouvrage ont fait l'objet d'une autorisation préalable de reproduction. Malgré nos efforts, il nous a été impossible de trouver les ayants droit de certaines œuvres. Leurs droits sont réservés à Difusión, S. L. Nous vous remercions de bien vouloir nous signaler toute erreur ou omission ; nous y remédierions dans la prochaine édition. Les sites Internet référencés peuvent avoir fait l'objet de changement. Notre maison d'éditions décline toute responsabilité concernant d'éventuels changements. En aucun cas, nous ne pourrons être tenus pour responsables des contenus de liens vers des tiers à partir des sites indiqués. Toute reproduction d'un extrait quelconque de ce livre, par quelque procédé que ce soit, et notamment par photocopie ou microfilm, est strictement interdite.

© Difusión, Centre de Recherche et de Publications de Langues, S.L., 2013

Réimpression : juin 2015
ISBN : 978-84-15640-00-4
Dépôt légal : B-11.574-2013
Imprimé dans l'UE

www.emdl.fr

DANGER
LE PHOTOCOPILLAGE TUE LE LIVRE